POEMAS DA RECORDAÇÃO
E OUTROS MOVIMENTOS

CB047463

CONCEIÇÃO EVARISTO

POEMAS DA RECORDAÇÃO
E OUTROS MOVIMENTOS

6ª EDIÇÃO

malê

Copyright © 2017 by Editora Malê
Todos os direitos reservados.
ISBN 978-85-92736-11-8

Capa: Pedro Sobrinho
Foto: Claudio Pereira
Diagramação: Márcia Jesus
Projeto gráfico e edição: Vagner Amaro
Revisão: Léia Coelho

Texto revisado segundo o novo Acordo Ortográfico da Língua Portuguesa.
Proibida a reprodução, no todo, ou em parte, através de quaisquer meios.

Dados internacionais de catalogação na publicação (CIP)
Vagner Amaro CRB-7/5224

E92p	Evaristo, Conceição
	Poemas da recordação e outros movimentos/ Conceição Evaristo. – Rio de Janeiro: Malê, 2021.
	124 p.; 19 cm.
	ISBN 978-85-92736-11-8
	1. Poesia brasileira I. Título
	CDD – B869.1

Índice para catálogo sistemático:

1. Poesia: Literatura brasileira   B869.1
2021
Todos os direitos reservados à Malê Editora e Produtora Cultural Ltda.
www.editoramale.com.br
contato@editoramale.com.br

Sumário

Recordar é preciso 11
A roda dos não ausentes 12
Todas as manhãs 13
Os sonhos 14
Meu corpo igual 15
Filhos na rua 16
Certidão de óbito 17
Malungo, brother, irmão 18

Eu-mulher 23
Vozes-mulheres 24
A noite não adormece
nos olhos das mulheres 26
Fêmea-fênix 28
Do feto que em mim brota 30
Amigas 31
Menina 33
Bendito o sangue de nosso ventre 34
Para a menina 36
Na mulher, o tempo... 38

Meu rosário 43
Favela 45
Brincadeiras 46
Pão 47
Amoras 48
Abacateiro 49
A menina e a pipa-borboleta 50
O menino e a bola 51
Bus 52
Estrelas desérticas 53
Na esperança, o homem 55
Dias de kizomba 57
Os bravos e serenos herdarão a terra 58
Pedra, pau, espinho e grade 60
Poema de Natal 61
Cremos 63

Fluida lembrança 67
Se à noite fizer sol 68
Frutífera 70
M e M 72
Flor magnólia 73
Vergonhamento 74
Canção pr'amiga 75

De mãe 79
Do fogo que em mim arde 81
Meia lágrima 82
Da conjuração dos versos 84
Da velha à menina 86
Do velho ao jovem 88
Ao escrever... 90
Stop 92
Carolina na hora da estrela 93
Clarice no quarto de despejo 94
Pigmeia, Edmea e Macabéa 96
Mineiridade 98
Só de sol a minha casa 99
No meio do caminho deslizantes águas 101
A empregada e o poeta 103
Inquisição 105

Negro estrela 109
Tantas são as estrelas.... 111
Só o medo 113
Medo do escuro 114
Medo das dores do parto. 116
Coisa de pertença 118
Apesar das acontecências do banzo 119
Da calma e do silêncio 121

O olho do sol batia sobre as roupas estendidas no varal e mamãe sorria feliz. Gotículas de água aspergindo a minha vida-menina balançavam ao vento. Pequenas lágrimas dos lençóis. Pedrinhas azuis, pedaços de anil, fiapos de nuvens solitárias caídas do céu eram encontradas ao redor das bacias e tinas das lavagens de roupa. Tudo me causava uma comoção maior. A poesia me visitava e eu nem sabia...

Recordar é preciso

O mar vagueia onduloso sob os meus pensamentos
A memória bravia lança o leme:
Recordar é preciso.
O movimento vaivém nas águas-lembranças
dos meus marejados olhos transborda-me a vida,
salgando-me o rosto e o gosto.
Sou eternamente náufraga,
mas os fundos oceanos não me amedrontam
e nem me imobilizam.
Uma paixão profunda é a boia que me emerge.
Sei que o mistério subsiste além das águas.

A roda dos não ausentes

O nada e o não,
ausência alguma,
borda em mim o empecilho.
Há tempos treino
o equilíbrio sobre
esse alquebrado corpo,
e, se inteira fui,
cada pedaço que guardo de mim
tem na memória o anelar
de outros pedaços.
E da história que me resta
estilhaçados sons esculpem
partes de uma música inteira.
Traço então a nossa roda gira-gira
em que os de ontem, os de hoje,
e os de amanhã se reconhecem
nos pedaços uns dos outros.
Inteiros.

Todas as manhãs

Todas as manhãs acoito sonhos
e acalento entre a unha e a carne
uma agudíssima dor.

Todas as manhãs tenho os punhos
sangrando e dormentes
tal é a minha lida
cavando, cavando torrões de terra,
até lá, onde os homens enterram
a esperança roubada de outros homens.

Todas as manhãs junto ao nascente dia
ouço a minha voz-banzo,
âncora dos navios de nossa memória.
E acredito, acredito sim
que os nossos sonhos protegidos
pelos lençóis da noite
ao se abrirem um a um
no varal de um novo tempo
escorrem as nossas lágrimas
fertilizando toda a terra
onde negras sementes resistem
reamanhecendo esperanças em nós.

Os sonhos

Os sonhos foram banhados
nas águas das misérias
e derreteram-se todos.

Os sonhos foram moldados
a ferro e a fogo
e tomaram a forma do nada.

Os sonhos foram e foram.

Mas crianças com bocas de fome,
ávidas, ressuscitaram a vida
brincando anzóis nas correntezas
profundas.
E os sonhos, submersos
e disformes
avolumaram-se engrandecidos,
anelando-se uns aos outros
pulsaram como sangue-raiz
nas veias ressecadas
de um novo mundo.

Meu corpo igual

Em memória de Adão Ventura

Na escuridão da noite
meu corpo igual
fere perigos
adivinha recados
assobios e tantãs.

Na escuridão igual
meu corpo noite
abre vulcânico
a pele étnica
que me reveste.

Na escuridão da noite
meu corpo igual,
boia lágrimas, oceânico,
crivando buscas
cravando sonhos
aquilombando esperanças
na escuridão da noite.

Filhos na rua

O banzo renasce em mim.
Do negror de meus oceanos
a dor submerge revisitada
esfolando-me a pele
que se alevanta em sóis
e luas marcantes de um
tempo que está aqui.

O banzo renasce em mim
e a mulher da aldeia
pede e clama na chama negra
que lhe queima entre as pernas
o desejo de retomar
de recolher para
o seu útero-terra
as sementes
que o vento espalhou
pelas ruas...

Certidão de óbito

Os ossos de nossos antepassados
colhem as nossas perenes lágrimas
pelos mortos de hoje.

Os olhos de nossos antepassados,
negras estrelas tingidas de sangue,
elevam-se das profundezas do tempo
cuidando de nossa dolorida memória.

A terra está coberta de valas
e a qualquer descuido da vida
a morte é certa.
A bala não erra o alvo, no escuro
um corpo negro bambeia e dança.
A certidão de óbito, os antigos sabem,
veio lavrada desde os negreiros.

Malungo, brother, irmão

No fundo do calumbé
nossas mãos ainda
espalmam cascalhos
nem ouro nem diamante
espalham enfeites
em nossos seios e dedos.

Tudo se foi,
mas a cobra
deixa o seu rastro
nos caminhos onde passa
e a lesma lenta
em seu passo-arrasto
larga uma gosma dourada
que brilha ao sol.

Um dia antes
um dia avante
a dívida acumula
e fere o tempo tenso

da paciência gasta
de quem há muito espera.

Os homens constroem
no tempo o lastro,
laços de esperanças
que amarram e sustentam
o mastro que passa
da vida em vida.

No fundo do calumbé
nossas mãos sempre e sempre
espalmam nossas outras mãos
moldando fortalezas esperanças,
heranças nossas divididas com você:
malungo, brother, irmão.

O tempo passava e eu não deixava de vigiar minha mãe. Ela era o meu tempo. Sol, se estava alegre; lágrimas, tempo de muitas chuvas. Dúvidas, sofrimentos que dificilmente ela verbalizava, eu adivinhava pela nebulosidade de seu rosto. Mas anterior a qualquer névoa, a qualquer chuva havia sempre o sorriso, a graça, o canto da brincadeira com as meninas-filhas ou como as meninas-filhas. Foi daquele tempo meu amalgamado ao dela que me nasceu a sensação de que cada mulher comporta em si a calma e o desespero.

Eu-mulher

Uma gota de leite
me escorre entre os seios.
Uma mancha de sangue
me enfeita entre as pernas.
Meia palavra mordida
me foge da boca.

Vagos desejos insinuam esperanças.
Eu-mulher em rios vermelhos
inauguro a vida.
Em baixa voz
violento os tímpanos do mundo.
Antevejo.
Antecipo.
Antes-vivo

Antes – agora – o que há de vir.
Eu fêmea-matriz.
Eu força-motriz.
Eu-mulher
abrigo da semente
moto-contínuo
do mundo.

Vozes-mulheres

A voz de minha bisavó
ecoou criança
nos porões do navio.
Ecoou lamentos
de uma infância perdida.

A voz de minha avó
ecoou obediência
aos brancos-donos de tudo.

A voz de minha mãe
ecoou baixinho revolta
no fundo das cozinhas alheias
debaixo das trouxas
roupagens sujas dos brancos
pelo caminho empoeirado
rumo à favela.

A minha voz ainda
ecoa versos perplexos

com rimas de sangue
    e
    fome.

A voz de minha filha
recolhe todas as nossas vozes
recolhe em si
as vozes mudas caladas
engasgadas nas gargantas.

A voz de minha filha
recolhe em si
a fala e o ato.
O ontem – o hoje – o agora.
Na voz de minha filha
se fará ouvir a ressonância
O eco da vida-liberdade.

A noite não adormece nos olhos das mulheres

Em memória de Beatriz Nascimento

A noite não adormece
nos olhos das mulheres,
a lua fêmea, semelhante nossa,
em vigília atenta vigia
a nossa memória.

A noite não adormece
nos olhos das mulheres,
há mais olhos que sono
onde lágrimas suspensas
virgulam o lapso
de nossas molhadas lembranças.

A noite não adormece
nos olhos das mulheres,
vaginas abertas
retêm e expulsam a vida
donde Ainás, Nzingas, Ngambeles
e outras meninas- luas

afastam delas e de nós
os nossos cálices de lágrimas.

A noite não adormecerá
Jamais nos olhos das fêmeas,
pois do nosso sangue-mulher
de nosso líquido lembradiço
em cada gota que jorra
um fio invisível e tônico
pacientemente cose a rede
de nossa milenar resistência.

Fêmea-fênix
Para Léa Garcia

Navego-me eu–mulher e não temo,
sei da falsa maciez das águas
e quando o receio
me busca, não temo o medo,
sei que posso me deslizar
nas pedras e me sair ilesa,
com o corpo marcado pelo olor
da lama.

Abraso-me eu-mulher e não temo,
sei do inebriante calor da queima
e, quando o temor
me visita, não temo o receio,
sei que posso me lançar ao fogo
e da fogueira me sair inunda,
com o corpo ameigado pelo odor
da chama.

Deserto-me eu-mulher e não temo,
sei do cativante vazio da miragem,

e quando o pavor
em mim aloja, não temo o medo,
sei que posso me fundir ao só,
e em solo ressurgir inteira
com o corpo banhado pelo suor
da faina.

Vivifico-me eu-mulher e teimo,
na vital carícia de meu cio,
na cálida coragem de meu corpo,
no infindo laço da vida,
que jaz em mim
e renasce flor fecunda.
Vivifico-me eu-mulher.
Fêmea. Fênix. Eu fecundo.

Do feto que em mim brota

Do meu corpo
o feto ossificado
há de brotar um dia.
Ele apenas se escondeu
nos vãos de minhas
sofridas entranhas,
enquanto eu de soslaio
assunto a brutalidade
do tempo.

Do meu olhar
a flor petrificada
em meu íntimo solo
contempla a distração de muitos
e balbucia uma estranha fala,
mas eu sei qualquer dizer,
pois quem convive
com os forçados à morte decifra todos os sinais
e sabe quando o silêncio,
julgado eterno,
está para ser rompido.

Amigas

Trago na palma das mãos,
não somente a alma,
mas um rubro calo,
viva cicatriz, do árduo
refazer de mim.

Trago na palma das mãos
a pedra retirada
do meio do caminho.

E quando o meu pulso dobra
sob o peso da rocha
e os meus dedos murcham
feito a flor macerada
pelos distraídos pés
dos caminhantes,
eu já não grito mais.
Finjo a não dor.

Tenho a calma de uma velha mulher

recolhendo seus restantes pedaços.
E com o cuspo grosso de sua saliva,
uma mistura agridoce,
a deusa artesã cola, recola,
lima e nina o seu corpo mil partido.
E se refaz inteira por entre a áspera
Intempérie dos dias.

Menina

Para Ainá, minha filha, ou minha mãe, talvez.

Menina, eu queria te compor em versos,
cantar os desconcertantes mistérios
que brincam em ti,
mas teus contornos me escapolem.
Menina, meu poema primeiro,
cuida de mim.

Bendito o sangue de nosso ventre

Para Ainá, aos 19 anos, pela sua menstruação primeira

Minha menina amanheceu hoje
mulher – velha guardiã do tempo.
De mim ela herdou o rubi,
rubra semente, que a
primeva mulher nos ofertou.
De sua negra e pequena flor
um líquido rúbeo, vida-vazante escorre.
Dali pode brotar um corpo,
milagre de uma manhã qualquer.

Ela jamais há de parir entre dores,
velhas mulheres vermelhecem
maravilhas há séculos
e no corpo das mais jovens
as sábias anciãs desenham
avermelhados símbolos,
femininos unguentos,
contrassinais a uma antiga escritura.

E ela jamais há de parir entre dores,
há entre nós femininas deusas,

juntas contemplamos o cálice
de nosso sangue e bendizemos
o nosso corpo-mulher.
E ali, no altar do humano-sagrado rito
concebemos a vital urdidura
de uma nova escrita
tecida em nossas entranhas,
lugar-texto original.

E em todas as manhãs bendizemos
o nosso sangue, vida-vazante no tempo.
E nossas vozes, guardiãs do templo,
entoam salmos e ladainhas
louvando a humana teia
guardada em nossas veias.

E desde todo o sempre
matriciais vozes celebram
nossas vaginas vertentes
veredas de onde escorre
a nossa nova velha seiva.
E eternas legiões femininas
glorificam, plenificadas de gozo,
o bendito sangue de nosso ventre,
por todos os séculos. Todos.
Amém.

Para a menina

*Para todas as meninas e meninos de cabelos trançados
ou sem tranças.*

Desmancho as tranças da menina
e os meus dedos tremem
medos nos caminhos
repartidos de seus cabelos.

Lavo o corpo da menina
e as minhas mãos tropeçam
dores nas marcas-lembranças
de um chicote traiçoeiro.

Visto a menina
e aos meus olhos
a cor de sua veste
insiste e se confunde
com o sangue que escorre
do corpo-solo de um povo.

Sonho os dias da menina
e a vida surge grata
descruzando as tranças

e a veste surge farta
justa e definida
e o sangue se estanca
passeando tranquilo
na veia de novos caminhos,
esperança.

Na mulher, o tempo...

A mulher mirou-se no espelho do tempo,
mil rugas (só as visíveis) sorriram,
perpendiculares às linhas
das dores.
Amadurecidos sulcos
atravessavam o opaco
e o fulgor de seus olhos
em que a íris, entre
o temor e a coragem,
se expunha
ao incerto vaivém
da vida.

A mulher mirou-se no espelho de suas águas:
- dos pingos lágrimas
à plenitude da vazante.
E no fluxo e refluxo de seu eu
viu o tempo se render.
Viu os dias gastos
em momentos renovados

d'esperança nascitura.
Viu seu ventre eterno grávido,
salpicado de mil estrias,
(só as contáveis estrelas)
em revitalizado brilho.

E viu que nos infindos filetes de sua pele
desenhos-louvores nasciam
do tempo de todas as eras
em que a voz-mulher
na rouquidão de seu silêncio
de tanto gritar acordou o tempo
no tempo.

E só,
só ela, a mulher,
alisou as rugas dos dias
e sapiente adivinhou:
não, o tempo não lhe fugiu entre os dedos,
ele se guardou de uma mulher
a outra...

E só,
não mais só,
recolheu o só

da outra, da outra, da outra...
fazendo solidificar uma rede
de infinitas jovens linhas
cosidas por mãos ancestrais
e rejubilou-se com o tempo
guardado no templo
de seu eternizado corpo.

O povo em procissão, carregado de fé, calmo, em frente seguia mirando o andor do sagrado. O respingo da vela chorando, parafina derretida na pele da minha mão, ameaçava queimar minha fé-criança. Eu seguia. Desde então, aprendi que a queimação da pele é dor somente para quem tem uma rasa crença. Não posso abandonar o cortejo. O santo parece, às vezes, não ter pressa. Creio que ele gosta de ser acarinhado pela dor do povo e vai adiando o milagre. Entretanto, sou fiel. Até hoje espero e acredito no milagre da graça. Sigo o séquito. Ora vou murmurando, ora gritando e em segredo até blasfemando. Ao santo digo: ele que nos carregue e que nos ampare. E que, sem mais tardar, se ponha a ouvir e a atender as nossas necessitadas preces.

Meu rosário

Meu rosário é feito de contas negras e mágicas.
Nas contas de meu rosário eu canto Mamãe Oxum
e falo padres-nossos, ave-marias.
Do meu rosário eu ouço os longínquos batuques
do meu povo
e encontro na memória mal adormecida
as rezas dos meses de maio de minha infância.
As coroações da Senhora, em que as meninas negras,
apesar do desejo de coroar a Rainha,
tinham de se contentar em ficar ao pé do altar lançando
flores.
As contas do meu rosário fizeram calos nas minhas mãos,
pois são contas do trabalho na terra, nas fábricas, nas casas
nas escolas, nas ruas, no mundo.
As contas do meu rosário são contas vivas.
(Alguém disse um dia que a vida é uma oração,
eu diria, porém que há vidas-blasfemas).
Nas contas de meu rosário eu teço intumescidos
sonhos de esperanças.
Nas contas de meu rosário eu vejo rostos escondidos
por visíveis e invisíveis grades

e embalo a dor da luta perdida nas contas de meu rosário.
Nas contas de meu rosário eu canto, eu grito, eu calo.
Do meu rosário eu sinto o borbulhar da fome
no estômago, no coração e nas cabeças vazias.
Quando debulho as contas de meu rosário,
eu falo de mim mesma um outro nome...
E sonho nas contas de meu rosário lugares, pessoas,
vidas que pouco a pouco descubro reais.
Vou e volto por entre as contas de meu rosário,
que são pedras marcando-me o corpo-caminho.
E neste andar de contas-pedras,
o meu rosário se transmuta em tinta,
me guia o dedo,
me insinua a poesia.
E depois de macerar conta por conto do meu rosário,
me acho aqui, eu mesma,
e descubro que ainda me chamo Maria.

Favela

Barracos
montam sentinela
na noite.
Balas de sangue
derretem corpos
no ar.
Becos bêbados
sinuosos labirínticos
velam o tempo escasso
de viver.

Brincadeiras

O pião entrou na roda
e tombou
sozinho sem par
pôs ali o pezinho
preso como escravo de caxangá
olhou pra si
olhou pro chão
morto-vivo
cabra-cega
serra, serra
serra
a dor
sua vida
já serrou
já serrou
já zerou...

Pão

Debaixo da língua
a migalha de pão
brinca à fome.

Amoras

Em nossos lábios pretos brincava
o tempo da boca roxa.
Os dias passavam em demora, lentos,
as horas tilintavam no fundo das panelas.
O cozimento da escassa comida tinha
a delonga de um fausto e falso repasto,
banquete de fartura sempre adiada.
Eram as amoras o nosso antepasto,
a salivar de roxo o perene jejum forçado
de uma eterna quaresma à espera
de uma páscoa, em que a passagem
era da fome para a fome.

Abacateiro

As casinhas fugiam, a árvore frondosa afrontava
com seus frutos os telhados de magras telhas.
As crianças magricelavam mais, todos os dias
ao escalar o verde infinito de estrelas-frutas,
do céu-copa da árvore, lugar-refeitório.
O fruto mesmo verde era sacrificado.
Cegas facas no ritual do corte
partiam o hemisfério em dois.
O coração do fruto despencava
das mãos dos meninos, céu abaixo.
Até que um dia, até que um dia...
unzinho deles, um bem verdinho,
bem fraquinho, quase nada,
o Gideão, céu abaixo, céu abaixo...
Não a casca, não o coração do fruto,
um menino, unzinho menino,
verde- abacate-vermelho-verde
tingindo o chão.

A menina e a pipa-borboleta

A menina da pipa
ganha a bola da vez
e quando a sua íntima
pele, macia seda, brincava
no céu descoberto da rua,
um barbante áspero,
másculo cerol, cruel
rompeu a tênue linha
da pipa-borboleta da menina.

E quando o papel, seda esgarçada,
da menina estilhaçou-se
entre as pedras da calçada,
a menina rolou
entre a dor e o abandono.

E depois, sempre dilacerada,
a menina expulsou de si
uma boneca ensanguentada
que afundou num banheiro
público qualquer.

Conceição Evaristo

O menino e a bola

A bola da vez
dança na rua
atrás dela ninguém.
O automóvel range
a sua raiva, o homem
também.

O corpo-menino
sacode a morte.
Inútil.
A letargia dorme
no asfalto.

Bus

Corpos-tijolos
alojados uns sobre
os outros
Resvalam-se despedaçados
e ferinos
deflorando o espaço.
Corpos-vidros
trincados e ameaçadores
deslocam-se no ínfimo espaço.
Anônimos sorrisos
traçam um ríctus coletivo no ar,
enquanto a máquina
alisa o asfalto
vazando os túneis
e suas rodas executam
desencontrados acordes
do sobe
e desce
de peregrinas pernas
rumo ao megadeserto.

Estrelas desérticas

Na aridez das ruas, estrelas escondidas
brotam insolentes do escaldante asfalto
ordenando a desordem final dos dias.
E no entre-meio do sinal da férrea cruz,
uma genuflexão malfeita acelera
a rapidez do cálice derramado.
Tudo sangra.

E, enquanto tudo sangra,
ensinam-se batuques aos meninos,
complexos estampidos, funestos sons,
que eles já sabem desde antes.

E depois, quase felizes,
os grandes cantam as suas vitórias:
— enquanto dançam esses meninos,
estrelas desérticas, enquanto dançam,
seus pés pisoteiam a terra anil da alegria.
E todos os cadáveres do passado
e ainda os do presente

entram em festa esquecidos.
E do futuro deles, estrelas desérticas,
cuidamos nós:
tragam mais bumbos, mais bumbos, mais tumbas...

Enquanto isso
na catacumba o sol do amanhã sangra.

Na esperança, o homem

Da cabeceira do rio, as águas viajantes
não desistem do percurso.
Sonham.

A seca explode no leito vazio
e a pele enrugada da terra seca e
sonha.

O barco espera.
O sábio contemplativo aguarda.
O homem, ao peso de qualquer lenho,
Não se curva.
Sonha.

Sonha e faz
com o suor de seu rosto,
com a água de seus olhos,
com a fluidez de sua alma,
cospe e cospe no solo

amolecendo a pedra bruta.

Faz e sonha.

E no outro dia, no amanhã de muitos
outros dias, a vida ressurge fértil,
úmida,
alimentada pelo seu hálito.

E que venham todas as secas,
o homem esperançoso
há de vencer.

Dias de kizomba

Ab(dias) de lutas e não dias de luto.
Um homem como Abdias,
estrela incandescente,
não morre.

A sua luz
cor negra zagaia
feriu a branca consciência
de uma democracia racial
nula e vil.

Um homem como Abdias,
estrela Nascimento,
Zumbi eternizado,
não morre.

A sua luta
Ziguezagueia
d'África à diáspora
espalhando sementes baobás
em cada uma/um de nós.

Os bravos e serenos herdarão a terra

O cotidiano plenifica-me
de dor, abandono e busca.
O grão de arroz, que soçobra
na pia, me emociona
nasalizando-me a voz
e brilha como um diamante
preso nos campos vazios
onde a fome brinca
escovando os dentes dos famintos
com uma pasta dentifrícia
feita de saliva seca
que sabe a fome.

No cotidiano busco a plêiade
tenaz da esperança
e plenificada de crença e gozo
encontro outras laboriosas mãos
revolvendo a terra
e retomando as sementes
dos falsos donos da gleba.

Do cotidiano só rimos.
Sorrimos o nosso sapiente riso
com os nossos dentes
abrilhantados de fome e força,
porque aqueles que todos pensavam mansos,
bravios se tornaram
e então, seremos nós,
bravos e serenos,
que herdaremos a terra.

Pedra, pau, espinho e grade

"No meio do caminho tinha uma pedra",
mas a ousada esperança
de quem marcha cordilheiras
triturando todas as pedras
da primeira à derradeira
de quem banha a vida toda
no unguento da coragem
e da luta cotidiana
faz do sumo beberagem
topa a pedra-pesadelo
é ali que faz parada
para o salto e não o recuo
não estanca os seus sonhos
lá no fundo da memória,
pedra, pau, espinho e grade
são da vida desafio.
E se cai, nunca se perdem
os seus sonhos esparramados
adubam a vida, multiplicam
são motivos de viagem.

Poema de Natal

O frio assola
os meninos no Natal
nas grutas, nas vielas,
nos condomínios...

O frio no Natal assola
a vida de muitos.
Na solidão do vazio prato,
o esbanjar da ceia
cerceia o paladar
de quem, apenas em sonho,
molha a farinha seca,
no vinho tinto e extinto
pelo derramamento
do cálice do outro.

O frio no Natal
não tem nascedouro
em dezembro.
Há longas datas

o frio assola
a boca vazia
do ano inteiro.

Em dezembro, porém,
uma lembrança erupciona
a pele de todos.
O frio do outro Menino, o frio do outro...

E então, no afã de exterminar
o nosso frio, fabricamos
o calor de um só dia, esquecidos
de que como os deuses
também podemos milagrar a vida.

Basta tomar
o fogo-brilho da estrela
e com a chama do divino-humano,
que em nós habita,
maravilhar o mundo com
a estrela-guia da justiça.

Cremos

Ao poeta Nei Lopes, pelo poema "História para ninar Cassul-Buanga".

Cremos.
Quando as muralhas
 desfizerem-se
com a mesma leveza
de nuvens-algodoais,
os nossos mais velhos
vindos do fundo
dos tempos
sorrirão em paz.

Cremos.
O anunciado milagre
estará acontecendo.
E na escritura grafada
da pré-anunciação,
de um novo tempo,
novos parágrafos
se abrirão.

Cremos.

Na autoria
desta nova história.
E neste novo registro
a milenária letra
se fundirá à nova
grafia dos mais jovens.

Apelidaram-me um dia de Ave-serena. Fui então observar a serenidade das aves. Observei noites e dias. E apreendi que, se a serenidade for a condição prima da ave, a ela, mesmo em momentos de profunda tormenta, caberá reaprumar o corpo, avaliar a condição de voo e de pouso, e seguir adiante. Se for dela a serenidade, mesmo quando em breves, raros, mas mortais instantes, suas penas, aquelas que recobrem o peito – exatamente na área do coração – se eriçarem diante à desventura de um espaço que ela não domina, e desconhece, caberá à ave esgotar a sua própria tormenta e se reerguer depois. À ave serena não é permitido cultivar o engano, ela sabe que o amor – dom maior da serenidade e do desespero – se realiza ou se anula por um triz.

Fluida lembrança

No líquido do copo
entorno a sua fluida
lembrança.
Bebo aos goles
o seu doce caldo
armazenado e curtido
em minha memória
e, quando depois
me erro nos passos,
inebriada dos meus enganos
toco o vazio de sua ausência
percebendo, então,
que você me escorre dos sonhos
tal qual a baba indomável
que da boca do bêbado sonolento
escapa.

Se à noite fizer sol

Se à noite fizer sol,
quebrarei minha casca-caramujo-corpo
e farei de meus poros crateras
para que os noturnos raios
atravessem de ponta a ponta
a porta mal guardada de meus desejos
onde na solitude brinco prazeres urdidos
na imaginária maciez de teus dedos.

Se à noite fizer sol,
ainda que temerosa e soturna
hei de me abrir toda-toda
mais milagrosa que a noturna aurora
só para guardar em mim a tua flor
no momento exato em que a natureza
expele o sêmen, o pólen, o mel.

Se à noite fizer sol,
vou me lançar na finitude
do momento adentro

e me esconder de mim
e me esconder de ti
só para concentrar na lembrança
o teu corpo, templo novo,
pois morrerei após o sol se pôr.

Frutífera

- Da solidão do fruto -
De meu corpo ofereço
as minhas frutescências,
casca, polpa, semente
E vazada de mim mesma
com desmesurada gula
apalpo-me em oferta
a fruta que sou.

Mastigo-me
e encontro o coração
de meu próprio fruto,
caroço aliciado,
a entupir os vazios
de meus entrededos

- Da partilha do fruto -
De meu corpo ofereço
as minhas frutescências,
e ao leve desejo-roçar

de quem me acolhe,
entrego-me aos suados,
suaves e úmidos gestos
de indistintas mãos
e de indistintos punhos,
pois na maturação da fruta,
em sua casca quase-quase
rompida,
boca proibida não há.

M e M

Nos olhos o fogo e o afago
denunciam desejos,
labaredas cozinham
pacientemente a espera.

A mulher quedou-se
e na quietude
encontrou a sua nova veste
que suavemente se desfaz
em corpos iguais
que se roçam.

Maria e Maria,
espelho único,
onde a outra face
é ela e ela.

Flor Magnólia

De magnólias ou outras flores
desfolhando em minhas mãos,
pouco sei,
só em desejos, guardo a fina textura
da pele em dálias, rosas, magnólias...
só em desejos, sei da primavera
que em mim roça,
quando uma flor magnólia,
tal qual a lendária rosa negra,
promete se abrir única
sobre mim.

Vergonhamento

Um vergonhamento
a me calar o peito,
a me cerrar a voz,
a me ferir a vista,
a me bulir o corpo,
enquanto o escondido
de mim em mim,
em assanhamento,
goza uma nua imagem,
   - a sua -
em acasalamentos
sobre mim.

Canção pr'amiga

Venha, minha dona, não tarde mais,
venha, minha diva, minha dádiva,
venha, minha perpetua flor,
e ouça meus soluçados ais...

Venha, minha dona, não tarde mais,
venha, minha senhora, minha deusa,
e me tome sem demora,
que o amor é como ondas,
faz , refaz., desfaz...

Venha, minha dona, não tarde mais,
venha, minha amiga, minha sciva,
e me receba como um ganho,
a oferenda do amor é joia rara,
não resiste à espera, à tardança,
volátil fragrância, de breve apanho

Venha, minha dona, não tarde mais,
venha,flor gêmea da minh'alma,

venha cumprir a nossa doce sina,
venha sem mais demora, venha,
antes que a bonança nos escape
e a tormenta dos tristes dias
nos abrace.

Quando a luz da lamparina era apagada, a escuridão do pequeno cômodo, em que dormíamos com mamãe, me doía. Ao apagar das luzes, minhas irmãs logo-logo adormeciam, confortadas com as lembranças de nossas falantes brincadeiras, em que, muitas vezes, a mãe era a protagonista. Aí, sim, a noite e seus mistérios se abatiam sobre mim. E tudo parecia vazio a pedir algum gesto de preenchimento. Escutava ainda os passos de minha mãe se afastando. Instantes depois, podia colher pedaços da voz dela, colados a outros de minhas tias e de vizinhus mais próximas. Apurava os sentidos, mas o teor profundo das conversas me fugia, diluindo-se no escuro. Então eu inventava dizeres para completar e assim me intrometer nas falas distantes delas. Todas as noites, esse era o meu jogo de escrever no escuro.

De mãe

O cuidado de minha poesia
aprendi foi de mãe,
mulher de pôr reparo nas coisas,
e de assuntar a vida.

A brandura de minha fala
na violência de meus ditos
ganhei de mãe, mulher prenhe de dizeres,
fecundados na boca do mundo.

Foi de mãe todo o meu tesouro,
veio dela todo o meu ganho
mulher sapiência, yabá,
do fogo tirava água
do pranto criava consolo.

Foi de mãe esse meio riso
dado para esconder
alegria inteira

e essa fé desconfiada,
pois, quando se anda descalço,
cada dedo olha a estrada.

Foi mãe que me descegou
para os cantos milagreiros da vida
apontando-me o fogo disfarçado
em cinzas e a agulha do
tempo movendo no palheiro.

Foi mãe que me fez sentir as flores
amassadas debaixo das pedras;
os corpos vazios rente às calçadas
e me ensinou, insisto, foi ela,
a fazer da palavra artifício
arte e ofício do meu canto,
da minha fala.

Do fogo que em mim arde

Sim, eu trago o fogo,
o outro,
não aquele que te apraz.
Ele queima, sim,
é chama voraz
que derrete o bico de teu pincel
incendiando até às cinzas
o desejo-desenho que fazes de mim.

Sim, eu trago o fogo,
o outro,
aquele que me faz,
e que molda a dura pena
de minha escrita.
É este o fogo,
o meu, o que me arde
e cunha a minha face
na letra desenho
do autorretrato meu.

Meia lágrima

Não,
a água não me escorre
entre os dedos,
tenho as mãos em concha
e no côncavo de minhas palmas
meia gota me basta.

Das lágrimas em meus olhos secos,
basta o meio tom do soluço
para dizer o pranto inteiro.

Sei ainda ver com um só olho,
enquanto o outro,
o cisco cerceia
e da visão que me resta
vazo o invisível
e vejo as inesquecíveis sombras
dos que já se foram.

Da língua cortada,

digo tudo,
amasso o silêncio
e no farfalhar do meio som
solto o grito do grito do grito
e encontro a fala anterior,
aquela que, emudecida,
conservou a voz e os sentidos
nos labirintos da lembrança

Da conjuração dos versos

- nossos poemas conjuram e gritam -

O silêncio mordido
rebela e revela
nossos ais
e são tantos os gritos
que a alva cidade,
de seu imerecido sono,
desperta em pesadelos.

E pedimos
que as balas perdidas
percam o nosso rumo
e não façam do corpo nosso,
os nossos filhos, o alvo.

O silêncio mordido,
antes o pão triturado
de nossos desejos,
avoluma, avoluma

e a massa ganha por inteiro
o espaço antes comedido
pela ordem.

E não há mais
quem morda a nossa língua
o nosso verbo solto
conjugou antes
o tempo de todas as dores.

E o silêncio escapou
ferindo a ordenança
e hoje o anverso
da mudez é a nudez
do nosso gritante verso
que se quer livre.

Da velha à menina

Tia Lia, em memória.

Houve um tempo
em que a velha
bordava nos meus dias
os pontos mistérios
do meu viver.

E eram tantos os pontos
das cruzadas linhas
sombreados, encadeados,
pontos cheios e vazios
atrás, adiante, adiante.

Houve um tempo
em que a velha
temperando os meus dias
misturava o real e os sonhos
inventando alquimias.

E eram tantos os paladares
do mel ao amargo

e seu entremeio
do ácido ao favo
e seu entregosto
do escaldante ao frio
e seu entrelaço.

Houve um tempo
em que a velha me buscava
e eu menina, com os olhos
que ela me emprestava,
via por inteiro o coração da vida.

Houve um tempo em que eu velha
houve um tempo em que eu menina...

Do velho ao jovem

Na face do velho
as rugas são letras,
palavras escritas na carne,
abecedário do viver.

Na face do jovem
o frescor da pele,
e o brilho dos olhos
são dúvidas.

Nas mãos entrelaçadas
de ambos, o velho tempo
funde-se ao novo,
e as falas silenciadas
explodem.

O que os livros escondem,
as palavras ditas libertam.
E não há quem ponha

um ponto final na história

Infinitas são as personagens:
Vovó Kalinda, Tia Mambene,
Primo Sendó, Ya Tapuli,
Menina Meká, Menino Kambi,
Neide do Brás, Cíntia da Lapa,
Piter do Estácio, Cris de Acari,
Mabel do Pelô, Sil de Manaíra,
E também de Santana e de Belô
e mais e mais, outras e outros...

Nos olhos do jovem
também o brilho de muitas histórias.
E não há quem ponha
um ponto final no rap

é preciso eternizar as palavras
da liberdade ainda e agora.

Ao escrever...

Ao escrever a fome
com as palmas das mãos vazias
quando o buraco-estômago
expele famélicos desejos
há neste demente movimento
o sonho-esperança
de alguma migalha alimento.

Ao escrever o frio
com a ponta de meus ossos
e tendo no corpo o tremor
da dor e do desabrigo,
há neste tenso movimento
o calor-esperança
de alguma mísera veste.

Ao escrever a dor,
sozinha,
buscando a ressonância
do outro em mim

há neste constante movimento
a ilusão-esperança
da dupla sonância nossa.

Ao escrever a vida
no tubo de ensaio da partida
esmaecida nadando,
há neste inútil movimento
a enganosa-esperança
de laçar o tempo
e afagar o eterno.

Stop

A vida passeia marginal
nos caminhos
podados da mente.
Dos olhos injetados do poeta
brilha o lusco-fusco
da palavra ferida.
E a big-pena
rabisca sinais luminosos:
STOP!

Carolina na hora da estrela

No meio da noite
Carolina corta a hora da estrela.
Nos laços de sua família um nó
– a fome.
José Carlos masca chicletes.
No aniversário, Vera Eunice desiste
do par de sapatos,
quer um par de óculos escuros.
João José na via-crucis do corpo,
um sopro de vida no instante-quase
a extinguir seus jovens dias.
E lá se vai Carolina
com os olhos fundos,
macabeando todas as dores do mundo...
Na hora da estrela, Clarice nem sabe
que uma mulher cata letras e escreve:
" De dia tenho sono e de noite poesia"

Clarice no quarto de despejo

No meio do dia
Clarice entreabre o quarto de despejo
pela fresta percebe uma mulher.
Onde estivestes de noite, Carolina?
Macabeando minhas agonias, Clarice.
Um amargor pra além da fome e do frio,
da bica e da boca em sua secura.
De mim, escrevo não só a penúria do pão,
cravo no lixo da vida, o desespero,
uma gastura de não caber no peito,
e nem no papel.
 Mas ninguém me lê, Clarice,
para além do resto.
Ninguém decifra em mim
a única escassez da qual não padeço,
– a solidão.

E ajustando o seu par de luvas claríssimas
Clarice futuca um imaginário lixo
e pensa para Carolina:

"a casa poderia ser ao menos de alvenaria"
E anseia ser Bitita inventando um diário.
Páginas de jejum e de saciedade sobejam.
A fome nem em pedaços
alimenta a escrita clariceana.

Clarice no quarto de despejo
lê a outra, lê Carolina,
a que na cópia das palavras,
faz de si a própria inventiva.
Clarice lê:
"despejo e desejos".

Pigmeia, Edmea e Macabéa

Se Raimundo
rimando com mundo
não é a solução,
Pigmeia, Edmea e Macabéa,
nomes mulheres, versejam
entre si fêmeas rimas
na vastidão do mundo.

A menor do mundo – Pigmeia – encravada no
fundo de uma África.
(Continente que propositalmente
alguns afirmam não ter solução.)
Edmea – Uma bala cravada na vida –.
morte na denúncia da morte dos seus.
(Mães de Acari, corpos continentes
agredidos, filhos desaparecidos.)
E você, Macabéa, Pigmeia, Edmea?
Ser feliz para quê?
Ser feliz como, Macabéa?

Pigmeia, Edmea e Macabéa,
rimas pobres,
pigmeias áfricas,
negras edmeas,
nordestinas macabeas.
Rimas mulheres
desafiando o macho cancioneiro
organizador dos sons disrítmicos
do mundo.

Mineiridade

Quando chego de Minas
trago sempre na boca um gosto de terra.
Chego aqui com o coração fechado,
Um trem esquisito no peito.
Meus olhos chegam divagando saudades,
meus pensamentos cheios de uais
e esta cidade aqui me machuca
me deixa maciça, cimento
e sem jeito.
Chegando de Minas,
trago sempre nos bolsos
queijos, quiabos babentos
da calma mineira.
É duro, é triste
Ficar aqui
com tanta mineiridade no peito.

Só de sol a minha casa

A Adélia Prado, com licença, que também sou mineira.

Durante muito tempo,
também tive um sol
a inundar a nossa casa inteira,
tal a pequenez do cômodo.

Pelas fendas do machucado zinco,
folhas escaldantes de nosso teto,
invasivos raios confrontavam
pontos de mil quenturas,
onde jorrantes jatos de fogo
abrasavam o vazio
de um estorricado chão.

Em dias de maior ardência,
minha mãe alquebrava
seu milenar e profundo cansaço
no recorte disforme de um buraco
– janela sem janela –
acontecido no centro de uma frágil parede.
(rota de fuga de uma presa a inventar

extensão de um prado)

Eu não sei por quê, ela olhava o tempo
e nos chamava para perscrutar
em que lugar morava a esperança.
Olhávamos.
Salvou-nos a obediência.

No meio do caminho: deslizantes águas

Ao Drummond, com licença, pois sei das pedras e também das águas das Gerais.

Da advertência de Carlos
faço moucos meus ouvidos
e sigo com lágrimas-águas
contornando a tamanha
extensão da pedra.
E tantas são as deslizantes águas
E são tantas as águas deslizantes
E deslizantes são as tantas águas
E águas, as deslizantes, são tantas
que nas bordas da áspera rocha,
encontro um escorregadio
limo-caminho. Tenho passagem.
Sigo a Senhora das Águas Serenas,
a Senhora dos Prantos Profundos.
Sigo os passos, passo a passo
e fundo outro caminho.

Sigo os passos.
Passo a passo.

Sigo e passo.
As águas passam,
e as pedras ficam...

A empregada e o poeta

Na suspeição de que a empregada envenenaria o poeta
anteciparam as dores dos livros.
Folhas mortas despencariam dos troncos,
lombadas folheadas em ouro,
tesouro do poeta,
que a mesma serviçal
eficiente e justa cuidava em sua obra.

A empregada envenenaria o poeta,
um mofo podre avolumaria
de cada letra morta.
E a biblioteca manuseada
pela mente assassina
esperaria uma nova edição
de um debochado cordel,
que cantaria a história do poeta
e do bife envenenado,
trazendo o verso final:
" o peixe morre é pela boca."
Todos suspeitariam,

condolências antecipadas
surgiriam em prosa e verso.
Entretanto suspeição alguma
ouviu e leu a história da empregada.
Ela jamais assassinaria o poeta.

Quando o bife passou
quase amargo e cru,
foi porque o tempo logrou
as tarefas de Raimunda.
O não e o malfeito da empregada
eram gastos às escondidas em leituras
do tesouro que não lhe pertencia.
No entanto ela sabia, mesmo antes do poeta,
que rima era só rima.
E em meio às lacrimejantes cebolas
misturadas às dores apimentadas
nos olhos do mundo,
Raimunda entre vassouras, rodos,
panelas e pó desinventava de si
as dores inventadas pelo poeta.

Inquisição

Ao poeta que nos nega

Enquanto a inquisição
interroga
a minha existência,
e nega o negrume
do meu corpo-letra,
na semântica
da minha escrita,
prossigo.

Assunto não mais
o assunto
dessas vagas e dissentidas
falas.

Prossigo e persigo
outras falas,
aquelas ainda úmidas,
vozes afogadas,
da viagem negreira.

E, apesar
de minha fala hoje
desnudar-se no cálido
e esperançoso sol
de terras brasis, onde nasci,
o gesto de meu corpo-escrita
levanta em suas lembranças
esmaecidas imagens
de um útero primeiro.

Por isso prossigo.
persigo acalentando
nessa escrevivência
não a efígie de brancos brasões,
sim o secular senso de invisíveis
e negros queloides, selo originário,
de um perdido
e sempre reinventado clã.

Em meio ao medo instalado e à necessária coragem, ensaiamos movimentos ancorados na recordação das proezas antigas de quem nos trouxe até aqui. E, apesar das acontecências do banzo, seguimos. Nossos passos vêm de longe... Sonhamos para além das cercas. O nosso campo para semear é vasto e ninguém, além de nós próprios, sabe que também inventamos a nossa Terra Prometida. É lá que realizamos a nossa semeadura. Em nossos acidentados campos – sabemos pisar sobre as planícies e sobre as colinas – a cada instante os nossos antepassados nos vigiam e com eles aprendemos a atravessar os caminhos das pedras e das flores. É deles também o ensinamento de que as motivações das flores são muitas. Elas cabem no quarto da parturiente, assim como podem ser oferendas para quem cumpriu a derradeira viagem...

Negro-estrela

Em memória de Osvaldo, doce companheiro meu, pelo tempo que a vida nos permitiu.

Quero te viver,
vivendo o tempo exato
de nossa vida.

Quero te viver na plenitude
do momento gasto
vivido em toda sua essência
sem sobra ou falta.

Quero te viver
me vivendo plena
do teu, do nosso
vazio buraco.

Quero te viver, Negro-Estrela,
compondo em mim constelações
de tua presença,
para quando um de nós partir,
a saudade não chegar sorrateira,
vingativa da ausência,
mas chegar mansa,
revestida de lembranças
e amena cantar no peito

de quem ficou um poema
que transborde inteiro
a certeza da invisível presença.

Tantas são as estrelas

Em Memória da Velha Lia, minha Tia, que se fez minha mãe, e mãe de muitos, concebendo todos nós no canto placentário de seu coração maio. Em Memória de Rosangela, amiga, companheira minha, Rosa que no sábado de um carnaval passado, vestiu a sua roupa de estrela e lá se foi...

Não, eu me nego a acreditar que uma estrela se apague.
São meus olhos caolhos, caóticos, carcomidos
pela crua e nua certeza de uma realidade visível
que me invadem as órbitas causando-me a ilusão
de que só vejo o que é vivo.

Não, eu me nego a acreditar que uma voz só é audível
se a boca mexer um som dizível que se propaga
até a invasão de meus viciados ouvidos.

Não, eu me nego a acreditar que um corpo tombe vazio
e se desfaça no espaço feito poeira ou fumaça
adentrando no nada dos nadas
nadificando-se.

Por isso, na solidão desse banzo antigo,
rememorador de todos os que de mim já se foram,
que eu desenho a sua luz-mulher

e as pontas de sua estrela enfeitam os dias
que ainda me aguardam
e cruzam com as pontas
das pontas de outras estrelas habitantes
da constelação de minhas saudades.

Só o medo

Só temos o medo
só o medo
o medo de sermos corajosos.
De sermos medrosos
também o medo.

Medo do escuro

No meio da calçada um vulto
escuro no escuro.
A mocinha no meio do caminho
trêmula de pavor, gritos em desejos
sufocam-lhe a garganta.
Mãos assassinas apertam-lhe a glote.
SOCORRO, grita calada.

O vulto escuro no escuro
se aproxima. Arma em riste.
Abruptamente cola
o seu corpo ao da mocinha.
A arma em riste continua.

Um pedaço de pau,
em desconexos giros,
movimenta no espaço.
No meio do corpo da mocinha
um vulto escuro no escuro,

como se buscasse aconchego,
pede desculpas pelo encontrão
e implora quase em sussurro
uma ajuda para atravessar a rua.

Um homem cego
entre um copo e outro
se distanciou de seus amigos
e de sua bengala.

Medo das dores do parto

Quando a enfermeira,
uma bela mulher, entrou
no quarto da parturiente,
sua imagem era de tanto fulgor,
que parecia ser ela a mulher
que havia parido e abrilhantado
o mundo.

A recém-parida, se contorcendo
em dores, lastimou a barriga vazia,
desejando uma eterna prenhez.
Era chegada a hora de ofertar
o rebento ao pai.

E quando a bela enfermeira
depositou sobre o colo da mãe,
o seu filho em pedaços,
mutilado dos pés
e dos membros do abraço,
o pai, por um ínfimo instante,

olhou para o colo da mulher,
e depois com desejo e gula
buscou o olhar da enfermeira.

E ali mesmo, no desesperado
instante de mulher sozinha,
aconchegada ao amado filho,
pequeno e faltante de corpo,
ela vivenciou mais uma vez
a certeza de um abandono
e vaticinou um certo amanhã
para a bela enfermeira
com o pai do menino.

E em meio ainda ao doer do parto,
mais medos e dores, a certeza
de que seu homem partiria.

O pai do menino se foi...
E nunca soube se o seu
rejeitado infante
havia sobrevivido,
ou não.

Coisa de pertença

Quando a mulher boquiaberta
engoliu a bala que lhe arrebentou
o último fio de seu desamparo,
o homem, o seu,
aliás, título inverso de propriedade,
pois era ele quem a considerava
como coisa de pertença,
pegou a segunda arma
decepando-lhe o corpo,
enquanto calmamente dizia:
"quem come a carne, corta os ossos".

Apesar das acontecências do banzo

Apesar das acontecências do banzo
há de nos restar a crença
na precisão de viver
e a sapiente leitura
das entre-falhas da linha-vida.

Apesar de...
uma fé há de nos afiançar
de que, mesmo estando nós
entre rochas, não haverá pedra
a nos entupir o caminho.

Das acontecências do banzo
a pesar sobre nós,
há de nos aprumar a coragem.
Murros em ponta de faca (valem)
afiam os nossos desejos
neutralizando o corte da lâmina.

Das acontecências do banzo
brotará em nós o abraço à vida
e seguiremos nossas rotas
de sal e mel
por entre Salmos, Axés e Aleluias.

Da calma e do silêncio

Quando eu morder
a palavra,
por favor,
não me apressem,
quero mascar,
rasgar entre os dentes,
a pele, os ossos, o tutano
do verbo,
para assim versejar
o âmago das coisas.

Quando meu olhar
se perder no nada,
por favor,
não me despertem,
quero reter,
no adentro da íris,
a menor sombra,
do ínfimo movimento.

Quando meus pés
abrandarem na marcha,
por favor,
não me forcem.
Caminhar para quê?
Deixem-me quedar,
deixem-me quieta,
na aparente inércia.
Nem todo viandante
anda estradas,
há mundos submersos,
que só o silêncio
da poesia penetra.

Esta obra foi composta em Arno Pro Light (miolo) e Annabelle Medium (títulos), impressa pela SpeedGraf sobre papel Pólen Bold 90g, para a Editora Malê, em junho de 2025.